Bernard Friot

J'~~aime~~ _déteste_ le sport

Illustrations de Zelda Zonk

MiLAN

CHAPITRE 1

Dès le premier cours, j'ai compris qu'entre lui et moi, ça ne collerait pas.

C'était le jour de la rentrée. Le matin, on avait eu droit aux formalités habituelles : fiches à remplir, emploi du temps à noter, carnet de correspondance à compléter. C'était notre premier cours.

Il est arrivé en short et en débardeur, bronzé, musclé, débordant d'énergie. Il a demandé le cahier d'appel et puis il s'est présenté :

– Bonjour ! Je m'appelle Cyril Lanvin et je suis votre professeur d'éducation physique et sportive. Je vais tout de suite vous montrer les installations sportives du collège. Suivez-moi !

Il est parti au petit trot en direction du stade, juste derrière le gymnase. On s'est regardés, indécis. Quelques-uns étaient en tenue de sport, mais c'était la minorité. Et surtout, que faire de nos sacs à dos ? Ils étaient pleins à craquer, car on venait juste de nous distribuer nos manuels. Ça nous impressionnait beaucoup, tous ces livres, ça nous semblait sérieux. Pas question de les laisser sans surveillance. On a donc ramassé nos sacs à dos et on a suivi le prof qui avait déjà cinquante mètres d'avance.

Le peloton s'est très vite disloqué. Bien entendu, je me suis retrouvé à la queue. Je serrais mon sac à dos dans mes bras, car je n'avais pas réussi à le fermer. Je n'avais pas réussi non plus à fourrer dedans tous les manuels, à cause de la grosse boîte qui contenait ma collection de dragons en plastique que je voulais montrer à Roméo. Et le livre de grammaire m'était resté SUR les bras. J'ai d'abord essayé de le coincer SOUS le bras droit, mais il est tombé après trois mètres. Alors, je l'ai serré entre les dents et j'ai suivi le mouvement.

Quand je suis arrivé sur le stade, le prof faisait une drôle de tête.

– Qu'est-ce que vous fichez avec vos sacs ? a-t-il crié. Vous croyez que vous avez besoin de bouquins pour courir ?

– Oh, ça fait les muscles, a dit Roméo.

Roméo, c'est mon pote. Je le connais depuis le CP, et, vraiment, il est champion pour dire exactement ce qu'il ne faut pas au moment où il ne faut pas.

Le prof a explosé :

– Tu te crois malin, toi ? Eh bien, va me faire dix tours de piste, et à bonne allure, sinon je te botte les fesses.

Ensuite, il m'a aperçu, le livre de grammaire entre les dents, enlaçant mon sac à dos comme un naufragé sa bouée de sauvetage. Il aurait dû avoir pitié de moi. Mais non, pas du tout. Il s'est planté devant moi, a soufflé par les naseaux, style taureau dans l'arène, et a hurlé :

– Et toi, espèce d'olibrius, tu te crois au cirque ?

Indigné (parce que j'ignorais le sens du mot *olibrius*, mais me doutais que ce n'était pas un compliment), j'ai ouvert la bouche pour répondre. Et plaf ! le bouquin lui est tombé sur le pied. Je me suis précipité pour le ramasser et j'ai rejoint sans rien dire le gros du troupeau.

Le prof m'a fusillé du regard et je me suis fait le plus petit possible, me planquant derrière le large dos d'Émilien Vankerkove. Le prof a pris une longue respiration (style « je me calme, zen, surtout je ne m'énerve pas ») puis il a commencé l'appel :

– Anthier Roméo.

– Présent ! a crié une petite voix à l'autre bout du stade.

M. Lanvin s'est raclé la gorge, a fermé les yeux quelques secondes, et puis a continué :

– Bartet Lola, Belcastro Coralie, Belkacem Ibrahim, etc.

Quand il est arrivé à « Marival Romain », tout à coup son visage s'est illuminé. Mais quand j'ai répondu « Présent », il a froncé les sourcils, déçu. J'avais très bien compris le sens de ses mimiques. C'est simple : j'ai le malheur d'avoir un frère aîné, Mathieu. Il est en troisième, et c'est la vedette du collège. Pas à cause de ses résultats scolaires, non, mais il court comme un guépard, saute comme un puma et nage comme un dauphin. La moitié des coupes exposées dans le hall du collège, c'est lui qui les a gagnées. C'est le chouchou des profs de sport, évidemment, et c'est pour ça que ça a fait tilt dans la cervelle de M. Lanvin quand il a lu « Marival » sur sa liste. Mais il a déchanté en me voyant.

– Tu es le frère de Mathieu ? a-t-il demandé.

J'ai poussé un grand soupir et marmonné un « oui » désolé.

– Et… et tu es aussi sportif que lui ?

– NON ! ai-je répondu.

C'est sorti, direct et spontané, et ça l'a soufflé. Tant pis pour lui, c'est la vérité vraie. Je déteste le sport. S'il y a des gens que ça amuse de courir après un ballon, de barboter dans l'eau ou de pédaler sur un vélo, grand bien leur fasse. Moi, je trouve nettement plus intéressant de regarder la télé, vautré sur le canapé, en m'empiffrant de chips au paprika.

Le prof m'a regardé d'un air abattu. Puis, brusquement, il a tourné les talons et a démarré à toute allure en hurlant :

– Suivez-moi ! Échauffement !

Panique générale. On s'est regardés, ahuris. Mais on s'est résignés. Les uns derrière les autres, on s'est lancés sur la piste. En tête, les athlètes, je veux dire : ceux qui avaient leur tenue de sport. En queue, les poussifs et les antisportifs convaincus dans mon genre.

Derrière moi, « plumps, plumps », soufflait Émilien Vankerkove, un grand gros gras tout pâle, tout blond et tout timide. Chargé d'un énorme sac à dos, il était au bord de l'asphyxie. La lanterne rouge, ou plutôt la voiture-balai, était représentée par Katia Lentier, une grande maigre aux cheveux noir corbeau rassemblés en une longue tresse serrée. Elle ne faisait même pas semblant de courir, non, elle marchait tranquillement, les mains dans les poches de son jogging blanc.

— Eh, fais gaffe, lui ai-je dit, le prof va nous voir.

— Et alors ? a-t-elle répondu en haussant les épaules. J'ai pas envie de me crever, j'ai entraînement de foot, ce soir.

Juste à cet instant, Cyril Lanvin s'est retourné. On avait au moins deux cents mètres de retard sur les coureurs de tête. Quand il a aperçu la débandade, il a perdu la dernière miette de patience qui lui restait. Il a foncé dans notre direction, l'air sauvage et menaçant. Et nous, effrayés, on a aussitôt fait demi-tour et on a piqué un sprint désespéré. On a couru comme ça une éternité, pulvérisant nos records personnels, jusqu'à ce qu'on se retrouve face à face avec ceux qui couraient dans le bon sens. Le premier à être balayé par notre troupe de choc a été Roméo qui caracolait en tête. Boum ! Émilien l'a frappé de plein fouet. Un de chute ! Il y a eu ensuite un carambolage avec la petite avant-garde de sportifs convaincus. Malgré leur entraînement, ils n'ont pas fait le poids. Les uns après les autres, ils se sont effondrés sur notre passage.

Derrière nous, on entendait le prof s'égosiller. Mais plus il s'égosillait, plus on courait, paniqués. Jusqu'au moment où j'ai compris ce qu'il hurlait :

– Arrêtez ! Bande d'imbéciles ! Mais arrêtez donc !

– Stop ! ai-je crié aux autres.

On a pilé net et on s'est écroulés sur la piste, sauf Katia qui s'est assise, bien tranquillement, fraîche comme une rose.

Le prof est apparu, blanc. Il a tendu le bras et, d'une toute petite voix, a ordonné :

– Filez !

On ne se l'est pas fait dire deux fois. On est allés ramasser nos cartables et on a quitté le stade, tête basse, sans bien comprendre ce qui nous arrivait.

Ainsi s'est terminé notre premier cours de sport.

CHAPITRE 2

Le jeudi suivant, on avait deux heures d'EPS, en fin de matinée. Comme j'avais pris quinze centimètres depuis le début du CM2, j'ai dû renouveler entièrement mon équipement de sport. En farfouillant un peu partout dans la maison, j'ai déniché ce dont j'avais besoin : un short qui avait appartenu à mon frère, un jogging d'origine inconnue (rouge délavé), un maillot de basket troué dans le dos, une casquette et un sifflet (au cas où).

J'avais tout enfilé : short, maillot et jogging. Casquette sur le crâne, sifflet autour du cou, je me sentais prêt à battre une demi-douzaine de records. C'est alors que je me suis aperçu que j'avais oublié l'indispensable : des baskets. Ça ne m'a pas dérangé outre mesure. « Tant pis, je me suis dit, je vais remettre mes chaussures, je battrai mes records une autre fois. » Les chaussures, c'étaient des Doc Martens toutes neuves, un cadeau de mamie Sylvie pour mon anniversaire.

Ainsi équipé, je suis sorti dans la cour du gymnase où le prof nous attendait. Plus précisément, il *m*'attendait, car les autres étaient déjà prêts, sagement alignés sur deux rangs. Discrètement, je me suis glissé au dernier rang, derrière Émilien. Mais le prof m'a repéré aussitôt.

– Enlève ta casquette et ce sifflet ! Tu t'imagines qu'on va regarder passer le Tour de France ? Et où sont tes baskets ? Tu as l'intention de courir avec tes Doc Martens ?

– Je suis allergique aux baskets ! ai-je bafouillé.

N'importe quoi, je sais, mais j'ai répondu la première chose qui me passait par la tête.

– N'importe quoi ! a hurlé Cyril Lanvin. Copieur !

– Mais si, m'sieur, c'est vrai ! est intervenue Katia. Quand il met des baskets, ses pieds enflent.

– Et ça sent mauvais ! a renchéri Roméo en se bouchant le nez.

– Oui, oui, c'est vrai, ai-je confirmé. Je ne supporte que les chaussures en cuir.

Le prof m'a regardé, hésitant.

– Bon, a-t-il soupiré. Pour la prochaine fois, tu m'apporteras une attestation médicale.

Mince ! J'allais avoir des problèmes… Mais pour le moment, j'étais sauvé.

– Suivez-moi, a dit le prof. Aujourd'hui, on commence une séquence « jeux collectifs ».

Comme d'habitude, il a démarré à toute vitesse en direction du stade, et on l'a suivi tant bien que mal. Avec mes gros souliers, je faisais autant de bruit qu'un troupeau de buffles. Et puis le sifflet est tombé de ma poche. Roméo s'est précipité pour le ramasser et, au lieu de me le rendre, il a soufflé dedans. Oh, juste un peu, mais ça a suffi. Le prof s'est retourné et l'a repéré. Un jet de fumée a jailli de chacune de ses oreilles (j'exagère, mais juste un peu), et il a rebroussé chemin pour remonter les bretelles à Roméo (façon de parler, bien sûr). Lequel Roméo a réagi au quart de tour. Il a détalé, démarrage instantané, poursuivi à grandes enjambées par M. Lanvin. On a suivi la course avec beaucoup d'intérêt. Silencieux, d'abord. Et puis quelqu'un a crié :

– Vas-y, Roméo, fonce !

Alors on s'est mis à l'encourager à pleine voix. Roméo courait en zigzag. Chaque fois que le prof tendait la main pour l'agripper, *in extremis* il s'échappait. Et nous, on applaudissait bruyamment.

Finalement, le prof a réussi à l'attraper par le col du maillot. Il l'a ramené vers nous, l'a secoué un moment. On voyait bien qu'il se creusait la tête

pour trouver une punition à la hauteur du délit. Mais il n'a aucune imagination et, finalement, il a ordonné :

– Dix tours de stade ! Au trot !

Et puis il a croisé nos regards. Vingt-six paires d'yeux qui le fixaient pleins de reproche. Il a pâli, légèrement, puis, sèchement, a annoncé :

– Pareil pour vous ! Dix tours de piste ! Le dernier arrivé a deux heures de colle.

Dans un bel ensemble, nos cinquante-deux poumons ont poussé un soupir résigné. Cyril Lanvin ne s'est pas laissé attendrir. Il a tendu le bras, index pointé, en direction du stade, et nous avons démarré, poussivement. Katia a joué des coudes pour prendre la tête du peloton. Je me suis

demandé ce qui lui arrivait, et puis j'ai compris : elle a donné le rythme, plan-plan, pas pressé. Les sportifs de la classe, Tony Cheung et Ilyès Arbaoui, ont essayé de la dépasser, mais – coup

de boule au premier, croche-pied au second – elle les a fait rentrer dans le rang. Bon, on n'allait pas trop se fatiguer.

Quand même, ça râlait dans le troupeau.

– Si on continue comme ça, a grogné Théo, à la fin de l'année on aura fait le tour du monde en courant.

– Et d'ailleurs, est-ce qu'il a le droit, le prof ? a protesté Zeynep. Si ça se trouve, c'est contraire au règlement du collège.

– Bougez-vous le train ! a braillé le prof, qui, lui, n'avait pas bougé d'un centimètre.

– Tchou-tchou ! a fait un petit rigolo, en douce.

Tandis qu'on se traînait lamentablement, Roméo, lui, filait à toute allure. Il était à cent mètres devant nous, puis deux cents, trois cents et, alors qu'on avait parcouru à peine un quart de tour, il passait déjà devant le prof en criant :

– Et d'un !

– Il est fou, a marmonné Émilien derrière moi.

– Ou dopé, a dit Théo.

Et hop ! il nous a rattrapés. Sans ralentir, il nous a dépassés de sa foulée sautillante et légère.

J'ai crié :

– Roméo, déconne pas, reste avec nous !

– Laisse-le faire, a dit Katia, ça me donne une idée.

Elle s'est arrêtée, faisant signe aux premiers du peloton de continuer. Puis elle a expliqué aux autres :

– Bon, maintenant, chacun court à son rythme, sans forcer, et en passant devant le prof, on crie un chiffre, n'importe lequel : deux, neuf, trente-six, ce qui vous passe par la tête. Ça va complètement l'embrouiller ; il ne saura plus combien on a fait de tours ni qui arrive le dernier.

Aussitôt dit, aussitôt fait. Le groupe s'est vite disloqué, et je me suis retrouvé parmi les derniers.

Je discutais tranquillement avec Émilien et Yildiz, en trottinant gentiment. Sans forcer, avait dit Katia, et, vrai de vrai, je n'ai pas forcé.

Au bout de dix minutes, c'était une joyeuse pagaille sur le stade. Roméo avait déjà parcouru cinq ou six tours ; moi, je n'en avais pas bouclé un seul. Je m'amusais à courir sur place, et même à reculons, en provoquant quelques collisions avec les sportifs de la classe.

Et, sans arrêt, on entendait crier les chiffres les plus fantaisistes :

– Dix-huit, m'sieur, dix-huit !

– Trois mille deux cent quarante-deux !

– Quatre, m'sieur, non cinq ! Euh, trois et demi, je me souviens plus…

Le prof bouillait, mais personne ne lui prêtait attention. Émilien s'est assis au beau milieu de la piste pour ôter un caillou qui s'était glissé dans sa chaussure. Quand il s'est relevé, il est parti dans la mauvaise direction et s'est mis à courir à contresens. Katia l'a aussitôt imité, entraînant un petit groupe avec elle.

Moi, j'ai inventé un jeu : couper à travers le stade sans me faire repérer par le prof. J'ai réussi à passer devant lui deux fois en moins de trente secondes en braillant : « Six ! » puis « Sept, m'sieur, sept ! »

Bref, on s'amusait bien. Jusqu'au moment où le prof a craqué. Il s'est jeté dans la mêlée, bras levés, et a hurlé :

— Stop ! Arrêtez ! En rang par deux devant moi !

On a compris qu'il ne fallait pas exagérer et on a rappliqué en ordre dispersé. Quand toute la classe a été réunie (il a bien fallu cinq minutes), le prof a inspiré et expiré lentement, par trois fois (zen, restons zen, c'est un tic chez lui).

— Bon, a-t-il dit enfin, vous vous croyez très malins, n'est-ce pas ? Eh bien, suivez-moi.

On l'a suivi, naturellement. Et jusqu'à la fin de l'heure, on a dû nettoyer la cour : ramasser les papiers, décoller les chewing-gums incrustés depuis des années et arracher les mauvaises herbes.

On s'est mis au travail sans protester. Enfin, pas ouvertement. Sans se concerter, on a choisi la seule tactique possible dans un cas pareil : la résistance passive. Pas de zèle, surtout pas de zèle. Repérer un papier, le regarder sans bouger (au cas où il aurait la bonne idée de se désintégrer tout seul), le retourner avec le pied, le reretourner avec l'autre pied, se baisser lentement, très lentement, le ramasser du bout des doigts… Bien exécutée, la manœuvre peut durer plusieurs minutes.

On s'occupait donc, en silence, l'air accablé, tandis que le prof tournait autour de nous, le visage sombre et les sourcils froncés (j'imagine, parce que je ne perdais pas mon temps à le regarder). Et puis, soudain, la voix claire de Roméo nous a réveillés :

– M'sieur, m'sieur, a-t-il appelé, j'ai trouvé un préservatif. Qu'est-ce que j'en fais ?

On s'est précipités, avant même que le prof ait eu le temps de réagir. Roméo tenait fièrement un morceau de plastique transparent au bout d'une brindille.

— Poussez-vous, mais poussez-vous ! a ordonné M. Lanvin.

Personne n'a obéi, évidemment. Le prof a dû jouer des coudes pour se frayer un passage. Il a examiné brièvement la trouvaille de Roméo et a déclaré :

— C'est juste un sachet en plastique. Pas de danger, tu peux le jeter dans la poubelle.

Des murmures déçus ont parcouru les rangs. Puis quelqu'un a dit :

— C'est peut-être un préservatif XXL, la super grande taille.

— Oui, un préservatif pour éléphant, a ajouté un autre.

— Je me demande à quel parfum il est, a dit Théo. Moi, je les prends toujours à la framboise. Et vous, m'sieur ? C'est quoi votre parfum préféré ?

Cyril Lanvin a viré au rouge brique.

— Dégagez, allez, dégagez ! a-t-il bafouillé. Je ne veux plus vous voir !

Heureusement pour lui, la sonnerie a retenti à cet instant, et on a filé au vestiaire.

Ainsi s'est terminé notre deuxième cours de sport.

Très vite, une sorte de routine s'est installée. À chaque cours de sport, je me faisais remarquer et Roméo, lui, se faisait punir. La classe était divisée. Le petit groupe des sportifs convaincus soutenait M. Lanvin, le trouvait dynamique, sympathique. N'importe quoi ! La majorité, en revanche, râlait et renâclait. En cours, il ne nous laissait pas souffler une minute, toujours à nous harceler, nous tourmenter, nous bousculer.

Celui qui souffrait le plus, c'était Émilien. Le prof de sport s'acharnait sur lui, et le malheureux sortait de chaque cours épuisé, cramoisi, au bord de l'asphyxie.

Un jour d'octobre, Katia et moi, on a décidé d'intervenir. Un mercredi après-midi, elle est passée me voir après son entraînement de foot.

– Si on ne fait rien, le pauvre va attraper une crise cardiaque.

– Il pourrait demander une dispense, ai-je proposé.

– Impossible : son médecin lui a prescrit de faire du sport, au contraire.

– Tu as une idée, alors ? ai-je demandé.

– Je crois, a dit Katia.

C'était assez simple. Mais très efficace. Il a seulement fallu répéter un peu avec Émilien. Au début, il a rechigné, redoutant les réactions de M. Lanvin.

– Tu surévalues les profs, lui a dit Katia. C'est comme les parents, ils sont beaucoup moins malins qu'on croit.

On était chez Émilien, dans sa chambre, et on s'entraînait avec lui. Pour la dixième fois, Katia lui montrait comment s'évanouir de façon réaliste et crédible.

– Regarde, c'est pourtant simple, disait-elle en s'écroulant sur le tapis comme un sac de pommes de terre perdant l'équilibre. Imagine que tes muscles lâchent tout d'un coup et que tes os deviennent du chocolat fondu.

L'explication ne devait pas être très claire, car Émilien restait raide comme un piquet. Heureusement qu'on avait étalé des coussins sur le plancher, sinon il se serait cassé en mille morceaux.

Finalement, on a modifié légèrement la tactique. Au lieu de s'écrouler au sol, Émilien devait s'évanouir dans mes bras. Seulement, il pèse une demi-tonne et j'avais un mal de chien à le soutenir. Au premier essai, il m'a renversé et je me suis retrouvé à terre, écrasé, à moitié suffoqué.

Katia était pliée en deux de rire.

– Bon, on refait la même chose pendant le cours, a-t-elle décrété. Ça va impressionner le prof.

Le cours suivant, donc, on a mis notre plan à exécution. Une fois de plus, on s'entraînait pour la course d'endurance. Après deux cents mètres, Émilien n'en pouvait déjà plus. Comme convenu, je trottinais à ses côtés.

– Vas-y! lui a soufflé Katia.

Sans beaucoup se forcer, tellement il était épuisé, Émilien est tombé sur moi. Je l'ai retenu comme j'ai pu, et puis je me suis laissé glisser au sol, en me râpant la cuisse gauche. *In extremis*, j'ai réussi à repousser Émilien sur le côté, mais j'avais la jambe gauche coincée sous son poids.

Aussitôt, Katia, Coralie et Roméo ont poussé des hurlements pour alerter le prof :

– M'sieur ! M'sieur ! Émilien s'est évanoui !

Roméo en a rajouté un peu :

– Au secours ! a-t-il braillé. Émilien est mort ! Et Romain s'est cassé les deux jambes !

Il s'est si bien pris au jeu qu'il a fondu en larmes et s'est agenouillé à côté de nous, levant les bras au ciel et balançant le torse d'avant en arrière. Très spectaculaire. Je me mordais les lèvres pour ne pas rire. Et pourtant, j'avais rudement mal à la jambe !

Comme nous l'avions prévu, la moitié de la classe a rappliqué, et un concert de cris, d'appels et de lamentations a éclaté. Le prof a fendu la mêlée sans ménagement. Il était blanc, paniqué.

– Dégagez ! a-t-il ordonné.

Il s'est penché vers Émilien, a posé une main sur son front.

– Aïe, aïe, aïe! j'ai fait pour attirer son attention.

– Ça va? m'a-t-il demandé.

Il paraissait vraiment inquiet.

– Non, non, ai-je gémi. Je n'arrive pas à dégager ma jambe.

Ça au moins, c'était vrai.

Cyril Lanvin a essayé de soulever Émilien en douceur. Pas facile. Il l'a saisi par les épaules et l'a déplacé légèrement. Mais juste à ce moment, Roméo a lâché un sanglot déchirant :

– Aaaaaaaaaaah, il est mort! Mon copain Émilien est mort !

Saisi, le prof a relâché Émilien, et j'ai pris tout le poids sur la jambe. J'ai hurlé de douleur, ce qui a immédiatement déclenché un chœur assourdissant de « Oh », « Ah » et « Hou, là, là ». Le prof s'est affolé. Il a tiré Émilien par les pieds et l'a poussé rudement de côté pour me libérer. Lequel Émilien, au lieu de continuer à faire le mort, a manifesté clairement sa réprobation.

– Eh, merde, vous pouvez pas faire attention ?

Il y a eu quelques secondes de silence. Et puis Katia a pincé Roméo pour qu'il reprenne ses lamentations. Elle a même poussé un cri suraigu, tout en faisant signe à Émilien de se re-évanouir illico presto.

Mais Cyril Lanvin n'a pas été dupe. Il a secoué Émilien qui s'était empressé de refermer les yeux. Pour détourner l'attention, j'ai poussé des gémissements déchirants. Le prof a bien été obligé de s'intéresser à moi.

– Je vais t'aider à te soulever, a-t-il dit. Prends appui sur ta jambe valide.

– Ça veut dire quoi « valide » ? ai-je demandé.

– La jambe qui n'est pas cassée, a-t-il répondu.

– Hein, j'ai une jambe cassée ? ai-je hurlé, terrorisé. C'est vrai, quoi, personne me m'avait prévenu !

– Mais non, mais non, a balbutié le prof. Pas d'affolement, je vais appeler le Samu.

Le Samu ! Oubliant que tout cela n'était qu'une mise en scène, je suis devenu blanc comme un Kleenex et… et je me suis évanoui. Pour de vrai !

Bon, ça n'a duré que quelques secondes, mais quand j'ai rouvert les yeux et retrouvé mes esprits, j'ai aperçu une rangée de têtes penchées au-dessus de moi et des regards qui me fixaient avec anxiété. J'ai gémi :

– Pas le Samu ! Je vous en supplie, pas le Samu !

Et pour prouver que je n'avais pas besoin des services d'urgence, je me suis dressé sur mes deux pieds et mes deux jambes. Le prof m'a fixé d'un air étonné, alors je me suis empressé de me frotter la jambe droite en gémissant.

– C'est la gauche qui était blessée, a-t-il commenté.

– Je sais, ai-je répondu, mais j'ai des fourmis dans la droite.

Le prof a haussé les épaules, puis s'est tourné vers Émilien, toujours étendu sur la piste.

– Et toi, ça va mieux, je suppose ?

Émilien a entrouvert les yeux et a balbutié :

– Euh oui, un peu…

Et puis il a poussé un cri de douleur.

– Aaaaaah ! Aaaaïïïïïïïïïïïe !

Le prof l'a d'abord regardé d'un air méfiant, mais Émilien souffrait pour de bon. En douce, Katia venait de lui donner un coup de pied dans les reins pour lui rappeler son statut de grand blessé.

– Arrête ton cinéma, a soupiré le prof.

Visiblement, il ne savait quelle attitude adopter. Il a grommelé quelque chose et a reculé d'un pas. Et là, un nouveau hurlement a percé nos oreilles. Plus aigu, plus déchirant et, pour tout dire, plus authentique. Le prof a vacillé, mais a réussi à garder l'équilibre en s'agrippant à moi. Le hurlement a continué, de plus en plus strident.

C'était Roméo. Assis par terre, il se tenait la jambe droite entre les mains. En reculant, Cyril Lanvin lui avait marché sur la cheville, et, apparemment, ça faisait mal, très mal.

Finalement, il a fallu appeler le Samu. Je me suis discrètement éloigné quand l'ambulance est arrivée. Comme je le craignais, l'ambulancier de

service n'était autre que mon père, et je ne tenais pas à ce qu'il me voie.

Roméo est donc parti à l'hôpital. Entorse. Pas très grave. Mais trois semaines de dispense de cours de gym. Le veinard.

En tout cas, grâce à lui (et au prof), on n'a pas beaucoup couru ce jour-là.

CHAPITRE 4

Katia, Émilien et moi, on était définitivement dans le collimateur de Cyril Lanvin, avec quelques autres, Théo, notamment. L'expression préférée de Théo était « C'est pas juste ! » Il l'utilisait une bonne dizaine de fois par jour, et pas seulement en sport. Mais sur M. Lanvin, elle agissait comme un chiffon rouge devant un taureau.

Quand il avait besoin d'un cobaye pour un exercice, Cyril Lanvin choisissait toujours l'un d'entre nous, même si dix volontaires levaient le doigt pour jouer les kamikazes. S'il désignait Théo, il s'empressait d'ajouter : « Je sais, c'est pas juste, mais c'est toi que je veux. » Ce qui n'empêchait pas Théo de clamer aussitôt : « C'est pas juste, m'sieur, c'est toujours moi, c'est pas juste ! » Mais il était bien obligé d'obtempérer. Katia exécutait tout ce qu'il demandait avec nonchalance, comme si c'était la chose la plus simple au monde, que ce soit un exercice de gym ou un lancer de poids. Bizarrement, ça agaçait terriblement le prof.

Moi, le prof me rendait horriblement nerveux. Alors, je multipliais les maladresses. Un jour, il m'a désigné pour montrer à toute la classe comment faire des passes au basket. C'est simple : tu cours, on t'envoie le ballon, tu l'attrapes, tu le renvoies… OK, pour la théorie, pas besoin qu'on me fasse un dessin. Je me mets donc à courir, le prof m'envoie le ballon, je l'attrape (oh ! miracle), je le renvoie, pas assez fort, mais le prof le rattrape en se pliant en deux (c'est son job, après tout), il me le rerenvoie, je le rerattrape (nouveau miracle), et là, je le rererenvoie de toutes mes forces… et le prof se prend le ballon en plein dans la tronche ! Oh, pardon : en pleine figure. Évidemment, il a cru que je l'avais fait exprès et…

– C'est pas juste ! a braillé Théo, avant que le prof ait eu le temps de me donner une punition.

Et c'est lui, Théo, qui a dû copier soixante-dix-sept fois : « Je dois me dispenser de toute remarque intempestive en cours d'EPS. »

Une autre fois, j'ai dû tester un exercice d'équilibre inventé par le prof : marcher, les yeux bandés, sur une poutre. Pas de problème, j'y vais. Comme j'avais oublié mes baskets (oui, entre-temps j'avais acheté des baskets en similicuir), je me suis élancé en chaussettes sur la poutre. Ce qui a déclenché les rires de toute la classe. Vraiment mesquin de la part des copains : oui, je sais, j'avais des chaussettes un peu trop grandes, toutes tirebouchonnées sur les chevilles. Je les avais empruntées à mon frère qui chausse du quarante-six. Déstabilisé par les rires (et les chaussettes), j'ai vacillé, perdu l'équilibre et j'ai chuté en m'accrochant au prof. Surpris, il a vacillé aussi, perdu l'équilibre et chuté en se cognant la tête contre un banc. Sonné, il n'a rien dit pendant un long moment. Moi, je vous rassure, je ne me suis pas fait une égratignure. Quand il a repris ses esprits, je me suis frotté un bras en gémissant « aïe, aïe, aïe », mais c'était juste pour détourner l'attention. De toute façon, il n'a pas eu le temps de s'énerver contre moi, car juste à ce moment-là Coralie s'est exclamée, l'air effaré :

– M'sieur, il est l'heure !

Encore un peu estourbi, le prof a répondu :

– L'heure de quoi, Coralie ?

– L'heure de partir ! Il ne faut pas que je sorte en retard, je dois aller chercher mon petit frère à l'école.

– Mais il est tout juste 9 h 10, Coralie ! Le cours vient à peine de commencer ! Tu te moques de moi, ou quoi ?

Sur ce, Coralie a regardé sa montre, l'a secouée, pour finalement constater qu'elle était arrêtée depuis une journée au moins.

Grâce à cette diversion imprévue, je m'en étais bien tiré, encore une fois, mais je sentais que M. Lanvin me regardait d'un air de plus en plus soupçonneux. Bref, je ne m'amusais plus telle-ment en cours de sport.

En plus, il nous prenait la tête, M. Lanvin. Il était devenu le sujet de conversation numéro un dans la classe. Le clan des pro-Lanvin nous harcelait. C'était un vrai fan-club. Ils participaient à des matchs avec lui le mercredi après-midi, s'ins-crivaient à des compétitions de cross pendant le week-end et nous reprochaient de « perturber les cours », reprenant exactement l'expression de leur idole. Ils n'étaient pas la majorité, une petite dizaine tout au plus, mais acharnés.

Et à la maison, j'entendais encore parler de LUI pratiquement tous les soirs. Mathieu faisait par-tie de l'équipe de basket du collège qui, bien sûr, était entraînée par Cyril Lanvin. Pendant le repas, entre les lasagnes et la mousse au chocolat (les bons jours) ou le foie grillé et les choux-fleurs (les TRÈS mauvais jours), j'avais droit aux commen-taires de mon cher frère :

– Il est trop bien, Cyril, il m'a dit que… (La suite, sans intérêt.)

Parce que, évidemment, Mathieu appelait M. Lanvin par son prénom.

Ou :

– Cyril pense que je pourrais participer au stage national.

Ou :

– Cyril m'a dit que je devrais faire un peu de muscu…

Là, mon père a répliqué :

– D'abord, il faudrait que tu muscles ton cerveau. Tu as vu tes notes en math ?

Un autre soir, Mathieu a raconté :

– Cyril, il a été champion de France avec son équipe.

– Équipe de quoi, ai-je demandé ? L'équipe des pom-pom boys du club de foot féminin de Romorantin ?

Mathieu a grogné. Il n'a aucun sens de l'humour, ce type. Même ma sœur Léonie a ri. Exceptionnellement, elle mangeait avec nous, ce soir-là. Depuis qu'elle travaille dans une librairie, à trente kilomètres de la maison, elle rentre souvent très tard.

– Si tu as une photo de lui en pom-pom boy, je suis intéressée, a-t-elle dit. Il est mignon au moins ?

De rage, Mathieu a serré les mâchoires. Se tournant vers moi, il a lâché :

– Toi, tu ferais mieux de la boucler. Sinon, je raconte ce que tu fais en cours !

Ça, c'était un coup bas ! Immédiatement, papa, maman et Léonie ont voulu savoir quel crime j'avais bien pu commettre et, malgré mes protestations, Mathieu s'est empressé de raconter mes exploits sportifs. Par chance, ça a amusé toute la famille. Ça a rappelé à mon père de bons souvenirs de jeunesse. Lui, pendant les cours de sport, il s'éclipsait discrètement avec quelques copains. Le stade du lycée était entouré d'une simple palissade en bois et ils avaient découvert que des planches ne tenaient que par quelques clous. Alors, ils les soulevaient et, en douce, quittaient le cours de sport pour traîner, en short, dans les bistrots avoisinants. C'est même lors d'une de ces expéditions que papa a rencontré maman.

– C'est pas juste, ai-je dit. Il n'y a pas de bistrots à proximité du collège. Comment je vais faire, moi, pour rencontrer le grand amour de ma vie ?

J'ai poussé un soupir déchirant, et ils ont tous éclaté de rire. Même Mathieu. Ouf, sauvé !

Et puis il y a eu l'épisode de la course d'orientation. Le premier jour après les vacances de novembre, Cyril Lanvin, en superforme, nous a annoncé :

– Lundi prochain, nous faisons une course d'orientation. Vous savez ce que c'est ?

– Oui, oui ! ont répondu en chœur les sportifs.

– Non, non ! ont crié, plus fort, tous les autres.

On savait très bien ce qu'était la course d'orientation. On en avait fait une à l'école primaire. Mais on voulait laisser M. Lanvin nous donner sa version. Pendant ce temps-là, au moins, on se reposerait.

Les explications ont duré une bonne demi-heure, parce qu'on n'arrêtait pas de poser des questions. Preuve qu'on était intéressés. On a demandé :

– s'il fallait venir en maillot de bain ou en tenue de camouflage (Théo) ;

– si on pouvait amener son petit frère (Coralie), son chien (Zeynep), sa grand-mère qui fait très bien les cakes aux olives (Paola) ;

– s'il y avait un contrôle antidopage (moi) ;

– si on avait le droit d'emporter des sandwichs au jambon, des croissants et une Thermos de chocolat chaud (Émilien) ;

– comment réagir si on était attaqué par un troupeau de sangliers (Katia);

– comment on disait « course d'orientation » en finlandais (Roméo, de nouveau parmi nous après son absence forcée);

– qui était le vainqueur du Tour de France 1998 (une voix anonyme).

Finalement, l'exposé de M. Lanvin s'est résumé à peu de choses : la course d'orientation consiste à courir en s'orientant. Avec une boussole. Faut repérer des balises et noter leur numéro sur une fiche cartonnée. Et revenir au point de départ. Le plus vite possible. Une balise ratée compte trois minutes de pénalité. Super.

Pendant une semaine, on s'est entraînés à utiliser une boussole. Génial. Une fois, Coralie, Roméo et moi, on a suivi la direction indiquée sur notre papier et on s'est retrouvés au milieu de la fête foraine. Pas notre faute : la boussole était faussée. On en a profité pour faire un tour de train fantôme et on est rentrés en retard. Mais le prof n'a rien pu dire. S'il nous était arrivé quelque chose, il aurait été responsable.

Le lundi suivant, donc, M. Lanvin nous a lâchés dans la nature. J'étais avec Katia, Oleg et Camilla. C'est le prof lui-même qui avait fait les groupes. « Je ne veux pas voir les rigolos ensemble », avait-il décrété. J'en avais conclu qu'il ne classait pas Katia dans le club des « rigolos ». Tant mieux pour moi. Oleg est un gars sympa, silencieux et sans histoire, et Camilla une petite boulotte toujours de bonne humeur.

Nous avons tiré au sort un carton avec notre itinéraire. Nous devions repérer sept balises. C'est Oleg qui a pris la boussole et cherché la direction indiquée.

– Pas de zèle, a prévenu Katia, on ne court pas comme des fous, OK ?

Sans attendre de réponse, elle est partie au petit trot, mollo-mollo, en direction de la forêt qui borde le collège. Ça n'a pas empêché Camilla de déraper au premier virage sur un tapis de feuilles mouillées. Elle a grimacé de douleur en se relevant.

– Je l'emmène à l'infirmerie, a déclaré Oleg d'un ton décidé.

Katia et moi, on s'est regardés, étonnés.

– Pas de problème, a dit Katia en haussant les épaules. Nous, on continue, prévenez le prof.

On est repartis en marchant tranquillement. Un peu plus loin, j'ai aperçu un rond de champignons, des pieds-de-mouton, et je me suis arrêté pour les ramasser. J'avais eu la bonne idée d'emporter mon sac à dos, avec le matériel de survie (deux sandwichs, un paquet de gâteaux, une bouteille de jus de pomme, un jeu de cartes et deux BD). J'ai rangé délicatement les champignons dans les poches latérales, et on s'est remis en route.

– Sors la boussole, a dit Katia au bout de dix minutes, il faudrait vérifier si on est dans la bonne direction.

– Mais je ne l'ai pas ! me suis-je exclamé. Je croyais qu'Oleg te l'avait donnée !

– Eh bien non, a soupiré Katia. Qu'est-ce qu'on fait ? On continue ?

– Euh, pas très prudent…

Katia a souri.

– Tu as raison. Mais si on rentre tout de suite, le prof est capable de nous donner une autre boussole et de nous renvoyer courir. Si on se cherchait un coin tranquille pour se reposer ? Quand il sera l'heure, on retournera au collège.

J'étais cent pour cent d'accord, évidemment, même si je ne me sentais pas très fatigué. La petite promenade que nous avions faite m'avait juste ouvert l'appétit.

On a repéré une clairière à l'écart du sentier et on s'est installés confortablement, le dos contre un tronc d'arbre. Katia avait emporté elle aussi

de quoi manger et on s'est préparé un petit pique-nique sympa. J'ai sorti mes cartes et on a joué à la bataille (c'est pas trop fatigant, intellectuellement). Katia a gagné, et puis, allongés sur la mousse, on s'est raconté des blagues.

On n'a pas vu le temps passer. Je crois même que je me suis un peu endormi.

Soudain, Katia s'est écriée :

– Mince, il est cinq heures et quart !

– Cinq heures et quart ? ai-je répété bêtement en regardant ma montre.

On a ramassé nos affaires en vitesse et on a couru à toute allure jusqu'au collège. Deux kilomètres en moins de trois minutes, un record. Quand on est arrivés, M. Lanvin a piqué une crise épouvantable.

– Mais où étiez-vous ? Qu'est-ce que vous faisiez ? J'allais prévenir la police !

On lui a expliqué qu'on n'avait pas de boussole, mais ça ne l'a pas calmé. Il avait été affreusement inquiet, je crois, et la colère le soulageait.

– Je vais convoquer vos parents, a-t-il hurlé, donnez-moi votre carnet !

Oups ! Je suis devenu blanc. Non, pas ça ! Tout, mais pas ça !

Katia, elle, a fixé le prof, droit dans les yeux. Elle était tout près de moi et, sans savoir pourquoi, j'ai saisi sa main. Elle tremblait.

– D'accord, a-t-elle dit sur un ton glacé, convoquez-les. Si vous les trouvez…

Le prof a ouvert la bouche, comme un poisson asphyxié. J'ai vu sa pomme d'Adam monter et descendre, trois fois, à toute vitesse.

– On… on… on en reparle plus tard, a-t-il bafouillé.

Et puis il s'est avancé vers moi, a gribouillé deux lignes sur mon carnet de correspondance et m'a dit sèchement :

– J'attends tes parents dès demain. Sans faute.

J'avais le moral dans les baskets en rentrant chez moi. Parce qu'à la maison, ce n'était pas la joie. Maman était totalement stressée à cause de son travail. Elle est responsable du rayon jouets dans un hypermarché et, pour elle, novembre et décembre sont les mois les plus durs de l'année.

Papa, lui, était mobilisé par une grève contre des suppressions de postes à l'hôpital. Ce n'était pas le moment de m'amener avec une convocation du prof d'EPS.

Katia marchait à côté de moi, tête basse. Après la poste, elle s'est arrêtée et a dit :

– Bon, j'y vais. Ne t'en fais pas, ça va s'arranger.

– Tu vas où ? j'ai demandé.

D'un geste vague, elle a montré une direction.

– Ben, au foyer. Tu ne savais pas que j'étais placée dans un foyer d'accueil ?

Non, je ne savais pas. On n'en avait jamais parlé. Plus exactement, elle n'en avait jamais parlé. J'aurais bien aimé poser des questions, mais je n'ai pas osé. J'ai dit :

– Ah bon. Eh bien, salut, à demain.

J'ai failli ajouter : « Tu as de la chance, toi, de ne pas avoir de parents sur le dos. » Mais je me suis mordu les lèvres juste à temps.

J'ai continué à avancer, plongé dans mes pensées. Elles n'étaient pas roses, loin de là. J'entrevoyais toutes sortes de châtiments et tortures menaçant mon avenir proche : interdiction de sorties, privation d'argent de poche, corvées ménagères diverses et variées, suppression des cadeaux de Noël, que sais-je encore ? L'imagination perverse des parents est infinie… Et puis, tout à coup, une idée a ébloui mon cerveau obscurci ! Une idée qui pouvait me sauver.

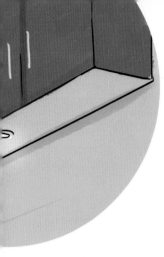

Tu es fou ! a dit ma sœur.

– Sans ménagement, Léonie rangeait couverts et casseroles dans le lave-vaisselle. Se tournant vers moi, elle a ajouté :

– Pas question. C'est débile !

– Tu ne peux pas me laisser tomber ! ai-je supplié. Si tu ne m'aides pas, je me fais massacrer. De toute façon, papa et maman ne sont pas libres, tu sais bien…

C'était vrai : papa était mobilisé à l'hôpital et maman faisait des heures supplémentaires dans son hypermarché.

– S'il te plaît, ai-je insisté, s'il te plaît, Léonie…

Je me suis blottie contre elle, comme quand j'étais petit, quand elle était ma « petite maman » et moi son « bébé adoré ». Un peu difficile, vu que je mesure cinq centimètres de plus qu'elle. Je me sentais un peu idiot, mais quand il faut, il faut.

Elle a soupiré :

– Mais ça ne peut pas marcher, il comprendra tout de suite que je ne suis pas ta mère. Je n'ai pas l'air si vieille que ça, non ?

– Non, bien sûr. On ne dirait pas que tu as vingt-trois ans…

– … dans un mois !

– Oui, oui… Mais en te maquillant, et avec des lunettes, et des vêtements de dame… Et puis tu pourrais avoir eu tes enfants très jeune, à treize ou quatorze ans…

– Il ne faut pas exagérer quand même !

– Et pourquoi pas ? Dis oui, s'il te plaît, Léonie…

Elle a cédé.

– OK, j'essaye. Mais, si ça tourne mal, ça ne sera pas ma faute !

– Oui, oui, ne t'en fais pas…

On s'est enfermés dans sa chambre et on a réglé les détails. C'était simple : Léonie devait aller au rendez-vous fixé par M. Lanvin et se faire passer pour ma mère. Je lui ai fait un topo précis sur Cyril Lanvin, j'ai raconté (en supprimant les détails compromettants) quelques-unes de mes aventures en sport, j'ai parlé de Katia, Roméo et des autres. Léonie s'est vite prise au jeu. Ce n'est pas pour rien qu'elle est inscrite à un club théâtre depuis des années. Je sentais que l'idée de jouer un bon tour au prof la titillait.

Elle a farfouillé dans sa garde-robe et dans celle de maman pour se composer une tenue de « mère d'élève ». Elle est même montée au grenier où elle a déniché un vieux manteau de ma grand-mère, avec un col en fourrure. Elle a essayé plusieurs coiffures et puis s'est rappelé que maman avait une perruque bouclée. Dès qu'elle l'a coiffée, elle a pris dix ans d'un seul coup. Avec un peu de maquillage, tout irait bien…

Je l'ai embrassée sur la joue et suis allé me coucher, rassuré.

✳

Le vendredi soir, donc, Léonie est partie au collège, à 18 heures précises. Je l'ai accompagnée jusqu'à l'entrée, l'assommant de conseils et de recommandations. Tandis qu'elle traversait la cour de son pas dansant, j'ai été assailli d'un doute : non, elle n'avait rien d'une « mère d'élève », jamais Cyril Lanvin ne s'y laisserait prendre.

Je devais l'attendre devant la Maison de la presse. J'ai traîné une demi-heure dans le rayon BD, et puis je suis sorti. La nuit était tombée et un vent froid soufflait sur la place. Léonie n'était pas encore là. Au bout d'un quart d'heure, j'avais les pieds gelés. Je suis entré de nouveau dans la Maison de la presse, mais, à sept heures, le patron m'a carrément viré. Et toujours pas de Léonie. Je commençais à m'inquiéter. Qu'avait-il pu arriver ? Cyril Lanvin avait-il découvert le stratagème ? Avait-il traîné ma sœur chez le principal ? Au commissariat peut-être ?

Tremblant de froid et de crainte, j'ai arpenté la place dans tous les sens. Alors que le clocher d'une église voisine sonnait la demie, Léonie est enfin apparue. Elle marchait tranquillement, sans hâte. Je me suis précipité vers elle :

– Alors ?

Les yeux vagues, elle n'a pas répondu tout de suite. J'ai dû la secouer par la manche de son manteau. Elle a soupiré.

– Ce n'est pas si simple…

– Quoi ? Allez, raconte…

– Franchement, je n'imaginais pas que tu étais aussi dissipé en cours…

Qu'est-ce qui lui prenait? Elle parlait comme un prof, maintenant…

– Eh? je lui ai dit. Ça va? Tu te sens bien?

Elle a poussé un nouveau soupir.

– C'est vraiment compliqué, tu sais…

– Mais qu'est-ce qu'il a dit? Parle à la fin! Il va me punir? M'envoyer en conseil de discipline?

Elle a passé son bras sous le mien et m'a entraîné vers la maison.

– Il n'a pas pris de décision. Il veut encore réfléchir. Je dois le revoir demain.

– Demain? Mais c'est samedi, le collège est fermé!

– Je sais. Il m'a donné rendez-vous dans un café.

– Et tu vas y aller?

Elle s'est arrêtée et m'a regardé, surprise :

– Mais, Romain, il faut bien… Je… je dois le convaincre… Il voulait demander ton exclusion du cours de sport…

– Oh, ça, ce serait génial!

– … avec inscription sur ton carnet scolaire!

Ah oui, c'était plus gênant. Léonie a souri, et son visage s'est illuminé.

– Tu vois, a-t-elle dit, je me sacrifie pour toi.

Là, elle en faisait un peu trop.

– Je croyais que tu travaillais à la librairie, demain, ai-je dit.

– C'est vrai, jusqu'à six heures.

– Alors, tu vas le voir quand, le prof ?

– On a rendez-vous à huit heures.

– Huit heures du soir ?

– Mais oui…

– C'est louche, tu ne trouves pas ?

Léonie a secoué la tête et mis un doigt sur mes lèvres.

– Ne t'inquiète pas, tout va s'arranger, a-t-elle murmuré.

Je n'ai pas répondu parce qu'on était arrivés devant la maison. N'empêche, j'avais un mauvais pressentiment…

CHAPITRE 6

Le lendemain soir, à huit heures moins le quart, Léonie est sortie fraîche et pimpante de sa chambre. Je l'ai détaillée des pieds à la tête. Je sentais que quelque chose n'allait pas, mais je n'ai pas repéré immédiatement. Et puis, tilt !

– Léonie, ta perruque ! Tu ne ressembles pas à maman comme ça, mais à ma petite sœur !

– Ah oui, a-t-elle soupiré, j'avais oublié.

Elle est allée récupérer la perruque et l'a enfoncée à la va-vite sur son crâne. Puis, en toute hâte, elle a filé.

– Ne m'attends pas ! Après le rendez-vous avec M. Lanvin, je sors avec des copines, a-t-elle lancé en claquant la porte derrière elle. À demain matin !

Et voilà, je me suis retrouvé seul dans la maison vide. Maman était à la répétition de sa chorale, papa toujours en grève, et Mathieu je ne sais où.

J'ai songé à appeler Katia pour qu'on s'arrange une petite soirée sympa, mais je ne savais pas comment la joindre. Je ne savais même pas si elle avait le droit de sortir de son foyer, le samedi soir. Alors, j'ai fait un tour dans la chambre de mon frangin et j'ai dégotté un DVD intéressant : un film d'horreur interdit aux moins de 16 ans.

J'ai été déçu. Aucun suspense dans ce film. D'après moi, il ne devrait être interdit qu'aux moins de 6 ans. Ou aux plus de 60 ans, parce que c'est l'histoire d'une bande de chats carnassiers qui s'attaquent aux retraités et les transforment en pâtée pour chiens. De toute façon, j'avais l'esprit trop préoccupé pour me concentrer sur le film. Je me demandais ce que pouvaient se dire Léonie et Cyril Lanvin. Convoquer une mère d'élève à huit heures du soir dans un café, tout de même, c'est étrange. Étrange, bizarre et suspect. Si j'étais scénariste de cinéma, ça me donnerait des idées…

J'ai fini par aller me coucher. J'ai rêvé d'un homme en chapeau haut de forme qui volait des champignons dans une épicerie. Ensuite, il les donnait à manger à son canari. Passionnant.

Le lendemain, Léonie s'est réveillée à onze heures. Elle s'est enfermée dans la salle de bains (jusque-là, rien d'anormal) et s'est mise à chanter à tue-tête des airs de comédie musicale. Une grande première. Elle a une jolie voix, en plus.

– Qu'est-ce qui lui arrive ? a demandé papa.

– Je ne sais pas, ai-je dit, peut-être qu'elle se drogue. C'est de son âge.

Papa m'a regardé, effrayé, puis il est parti à la cuisine en marmonnant dans sa barbe. J'ai frappé à la porte de la salle de bains.

– Léonie? Raconte! Qu'est-ce qu'il a dit?

Léonie a terminé sa mélodie sur une note très aiguë avant de répondre :

– *Tutto bene, caro mio, non preoccuparti!*

Voilà qu'elle parlait italien, maintenant! Encore une nouveauté!

– Et en français, ça veut dire quoi? ai-je grogné.

– Tout est arrangé, mon bébé, tu peux dormir sur tes deux oreilles. On dit merci qui?

– Je ne suis pas ton bébé, mémé. Merci quand même…

Ce dimanche-là, Léonie n'a pas mangé avec nous. D'ailleurs, on ne l'a pas beaucoup vue cette semaine-là. Ni les suivantes. Parfois, on l'entendait chanter, dans sa chambre ou dans la salle de bains, sinon elle ne faisait que de courtes apparitions à la maison.

Mais, c'est vrai, elle avait tout arrangé avec M. Lanvin. Quand je suis arrivé en cours, le lendemain, il m'a pris à part et, avec un sourire jusqu'aux oreilles, il m'a serré la main en disant :

– Tu as de la chance d'avoir une si jolie maman. Et si jeune! Elle t'aime beaucoup, tu sais.

Il m'a bêtement secoué le bras pendant deux minutes au moins, répétant une dizaine de fois que j'avais bien de la chance d'avoir une aussi jolie maman, et que j'avais bien de la chance, etc. Je ne l'ai pas contredit, mais je n'étais qu'à moitié rassuré.

Il a recommencé à chaque cours. Quand je passais à proximité, il trouvait toujours un prétexte pour me prendre à l'écart et me demander des nouvelles de ma « jolie maman ».

– Transmets-lui mon meilleur souvenir, disait-il encore. Surtout, n'oublie pas !

J'étais tellement perturbé qu'un soir, j'ai transmis à maman (la vraie) les salutations de M. Lanvin.

– Mais je ne le connais pas ! a dit maman. Tiens, je devrais peut-être prendre rendez-vous avec lui pour voir comment tu te comportes en cours.

Panique ! J'ai bredouillé :

– Euh non… c'est pas ça… C'est juste que… que tu ne dois pas oublier de laver mon jogging.

Elle m'a examiné en fronçant les sourcils et en plissant les yeux (et je ne parle pas des rides sur son front, bref, on aurait dit un accordéon).

— L'âge bête commence, a-t-elle déclaré. Espérons que ça durera moins longtemps qu'avec ton frère.

— Hein ? Quoi ? a grogné Mathieu en levant le nez de son assiette remplie à ras bord de gratin dauphinois.

— On ne parle pas la bouche pleine, a dit papa.

Et ça s'est terminé là. Ouf !

En EPS, je me tenais tranquille. Bizarrement, les amabilités de Cyril Lanvin me mettaient mal à l'aise. Ça faisait rire Katia qui, elle, continuait à ménager ses forces pendant les cours. Mais depuis qu'elle avait marqué six buts lors de la finale du championnat interrégional de foot féminin, elle était intouchable. Elle avait eu droit à une photo dans le journal, et je l'avais découpée et glissée dans mon portefeuille (la photo, évidemment, pas Katia).

Heureusement, grâce à Roméo, Émilien et les autres, les cours de sport étaient toujours aussi mouvementés. Depuis quelque temps, Roméo avait adopté un chien errant qui l'accompagnait jusqu'à la grille du collège. Un jour, alors qu'il faisait ses tours de piste habituels, le chien l'a rejoint et s'est mis à courir à côté de lui. Ensuite, le chien l'a suivi au gymnase où l'on jouait une partie de hand. Pendant cinq minutes, le chien s'est tenu bien sagement, à demi caché par un pilier. Mais, quand Cyril Lanvin a sifflé un hors-jeu, il est devenu fou. Il s'est précipité sur le prof en aboyant à la mort et s'est accroché à son jogging. Pas moyen de l'en faire démordre ! C'est Oleg qui a sauvé la situation. Il a réussi à parler au chien (mais oui) et l'a convaincu de

lâcher le prof. Le toutou est reparti tout content en remuant la queue, un morceau de jogging dans la gueule.

Depuis, on appelle Oleg « l'homme qui murmurait à l'oreille des chiens ».

Bref, on s'amusait bien. Mais moi, je me tenais à distance. Je sentais sur moi le regard de Cyril Lanvin, et ça me paralysait. J'essayais de l'éviter, mais il trouvait toujours le moyen de me glisser en passant : « Bonjour à ta charmante maman de ma part, n'oublie pas, hein ? »

Je commençais à le trouver vraiment lourd, ce type.

CHAPITRE 7

Et puis, le drame est arrivé. OK, j'exagère un peu. Je devrais écrire plutôt : « Un coup de théâtre s'est produit. » Mais ça fait trop devoir de français.

C'était le 13 décembre, à 7 h 29, je m'en souviens exactement. Je surveillais le coucou de l'horloge suisse (il sort toutes les demi-heures) quand maman a dit :

– Au fait, ne rentre pas trop tard de ton cours d'accordéon, ce soir. Léonie nous présente son nouveau copain.

– Ah bon, j'ai marmonné.

Le coucou est sorti de sa petite maison et a chanté deux fois.

– Pardon ? Qu'est-ce que tu as dit ? ai-je demandé, soudain réveillé.

– Ce soir, Léonie nous présente un ami. Ça semble sérieux, cette fois. Elle l'a invité à venir passer Noël avec nous chez papy et mamie.

J'ai trempé ma tartine de beurre dans le bol de chocolat chaud.

– Il s'appelle comment?

– Je ne sais pas.

– Qu'est-ce qu'il fait?

– Je ne sais pas.

– Quel âge il a?

– Je ne sais pas.

– Il a une moto?

– Je ne sais pas.

– Il aime les mangas? La tarte au chocolat? Il est allergique aux poils de rat?

– Je ne sais pas.

– Mais enfin, maman, tu es sûre qu'il existe?

– Je ne sais pas. Tu verras bien, a-t-elle répondu. En revenant du collège, passe à la boucherie Croppet. J'ai commandé un coq au vin. Et ce serait gentil si tu faisais un tiramisu, tu les réussis très bien.

– OK, mais est-ce que je peux inviter Katia ?

Aucun rapport entre Katia et le coq au vin. La question m'était venue spontanément.

– Si tu veux. J'appellerai le foyer à midi. Mais dépêche-toi, maintenant : tu vas être en retard. Au fait, tu n'as pas sport ce matin ?

– Oui, pourquoi ?

– Pour rien. Allez, file !

J'ai filé.

Pendant le cours de sport, ce jour-là, Cyril Lanvin ne m'a pas lâché les baskets. Il m'a désigné comme arbitre pendant le match de volley et il est resté à côté de moi, commentant chacune de mes décisions. Évidemment, ça m'a rendu nerveux et je n'ai pas arrêté de faire des fautes d'arbitrage.

Le soir, j'ai quitté le cours d'accordéon plus tôt que d'habitude et je suis passé prendre Katia dans son foyer. Elle avait changé de coiffure et je crois même qu'elle s'était maquillée.

Quand on est arrivés à la maison, Léonie n'était pas encore là. J'ai aidé maman à préparer l'apéritif. C'est-à-dire que j'ai goûté les amuse-gueules et lui ai indiqué lesquels étaient les meilleurs. Papa nous a rejoints. Il avait enfilé le pull que Léonie lui a tricoté pour son anniversaire.

Et puis, on a entendu des voix dans le jardin.

– Les voilà ! a crié Mathieu depuis le premier étage.

La porte d'entrée s'est ouverte, Léonie est apparue la première et…

… et je suis tombé dans les pommes. Enfin, presque. J'ai senti mes jambes se dérober sous moi et je me suis effondré sur le canapé en cuir. Je ne sais pas si vous avez remarqué, mais ça fait toujours un drôle de bruit quand on s'écroule sur un canapé en cuir, quelque chose comme « pfuing bleup ». C'est ce « pfuing bleup » qui m'a empêché de m'évanouir tout à fait. J'ai fixé Léonie et le personnage derrière elle. J'ai fermé les yeux, je les ai rouverts, j'ai regardé de nouveau. Non, ce n'était pas un mirage. Le type que Léonie venait d'introduire chez nous, je le connaissais, et beaucoup trop bien à mon goût.

– Bonsoir, a dit Léonie, radieuse. Je vous présente Cyril. Cyril Lanvin.

– Hou, là, là! a soufflé Katia derrière moi. Tu as vu ce que je vois?

Je n'ai pas répondu; j'avais toujours du mal à respirer. Cyril Lanvin a salué mes parents, a tapé sur l'épaule de mon frère qui sautait comme un kangourou à travers la pièce. Une manifestation de joie, je suppose. Et puis il s'est approché de moi et m'a tendu la main.

– On se lève quand il y a des invités, m'a lancé maman, sévèrement.

– Mais je ne l'ai pas invité, ai-je dit (ou pensé, je ne sais plus).

Je me suis arraché du canapé et j'ai serré (mollement) la main que me tendait mon prof. Non, le copain de ma sœur. Mon futur beau-frère, peut-être, si je ne trouvais pas très vite le moyen d'éviter cette catastrophe.

– Bonsoir, Romain, a-t-il dit en me broyant la main. C'est grâce à toi que je suis ici, et je ne l'oublierai jamais…

– Ah bon ? a dit maman. Qu'est-ce qu'il a fait ?

– Euh, rien, est intervenue Léonie. C'est lui qui m'a présenté Cyril, un jour, dans la rue…

Elle m'a adressé un clin d'œil et a entraîné maman à la cuisine.

J'ai regardé Cyril d'un œil sombre. Le voir là, dans le salon de **ma** maison, assis sur **mon** canapé, en train de manger **mes** cacahuètes, c'était dur à avaler. J'ai fait une dernière tentative :

– Vous savez, il y a du coq au vin au dîner. Et c'est moi qui ai préparé le dessert. Un truc bourré de calories.

Ça n'a pas eu l'air de l'effrayer. Au contraire.

– Génial, a-t-il dit, j'adore le coq au vin. Et les desserts bourrés de calories.

– Et je vous préviens, ma sœur a très mauvais caractère.

Il a éclaté de rire.

– Je sais !

77

Et, me regardant, il a ajouté :

– Ça doit être de famille.

Il faisait sûrement allusion à Mathieu qui, affalé dans un fauteuil, s'empiffrait de crakers au fromage.

Je ne savais plus quoi dire. Je me suis tourné vers Katia, comme pour l'appeler à l'aide. Mais elle grignotait tranquillement une tige de céleri. Alors je me suis lancé :

– Vous pouvez épouser Léonie si ça vous chante, mais pas question que je fasse du sport, ça non, jamais de la vie.

Il allait répondre quand maman est entrée dans le salon en annonçant :

– Vous pouvez passer à table, c'est prêt !

Le « pop » d'une bouteille de champagne débouchée par papa a résonné dans la salle à manger.

Et c'est sur ce « pop » que je termine mon histoire. Parce que, franchement, je n'ai plus grand-chose à raconter. M. Lanvin, Cyril pour les intimes, me fiche la paix en cours de sport, et c'est tout ce que je demande. Il est vrai que je l'ai menacé de révéler